DATE DUE

Para Santi, Fede, Agui y Guido.

Paula Fränkel

aquí también

AMANUENSE®

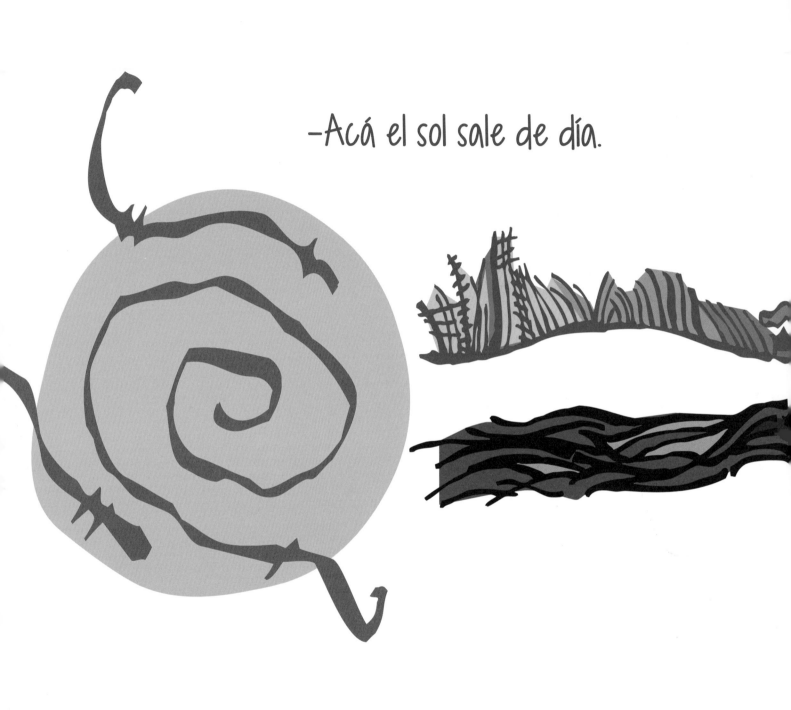

—Acá el sol sale de día.

-Aquí también-

-Y de noche sale la luna.

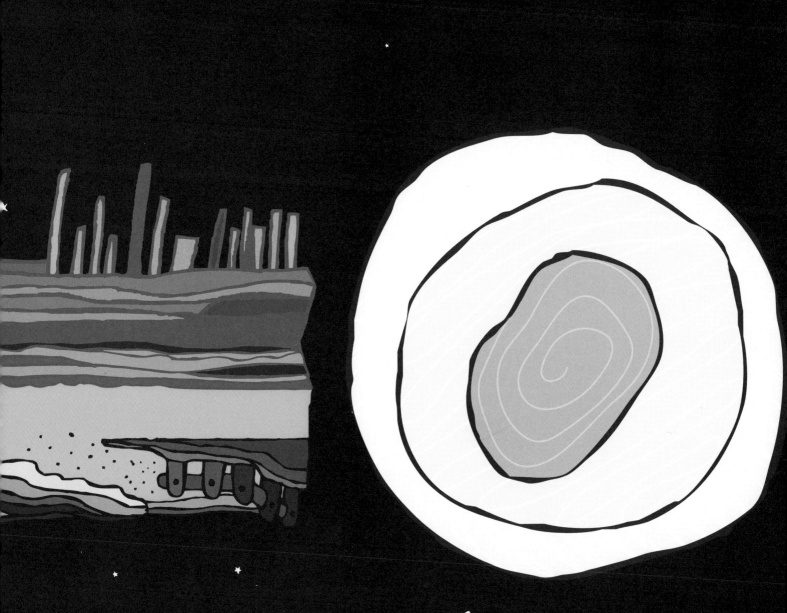

-Aquí también-

-Acá el fuego calienta desde adentro.

-Aquí también.

– Y el viento sopla afuera.

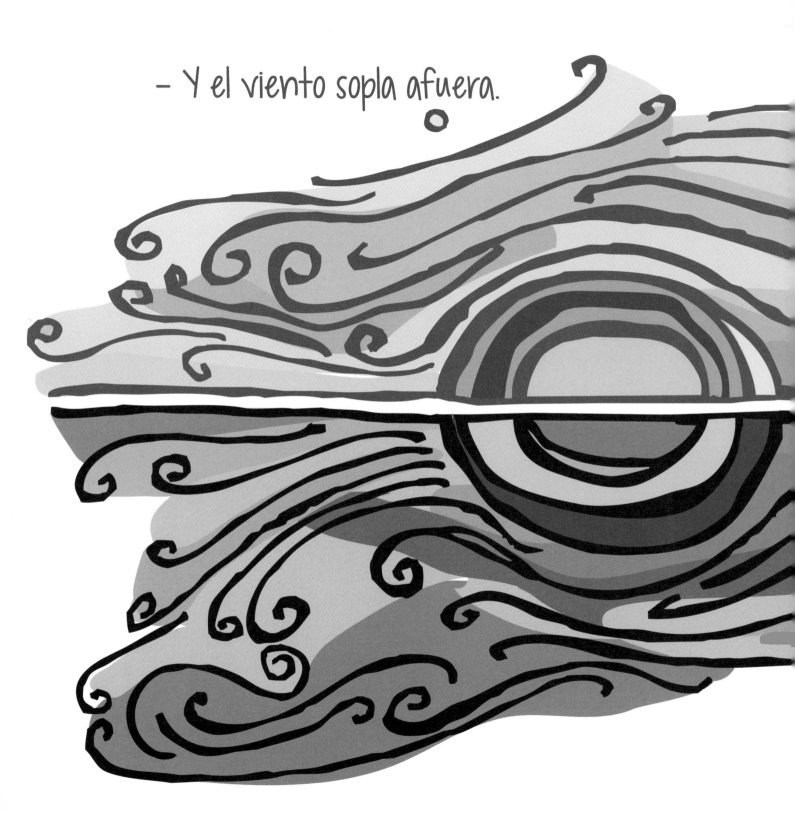

-Aquí también.

-Las flores crecen hacia arriba.

—Aquí también.

–Y el agua moja para abajo.

—Aquí también.

–Acá crecemos juntos.

-Y nos cuidamos unos a otros.

—Aquí también.

-Pero señor, no puede ser.
Si usted vive allá abajo.

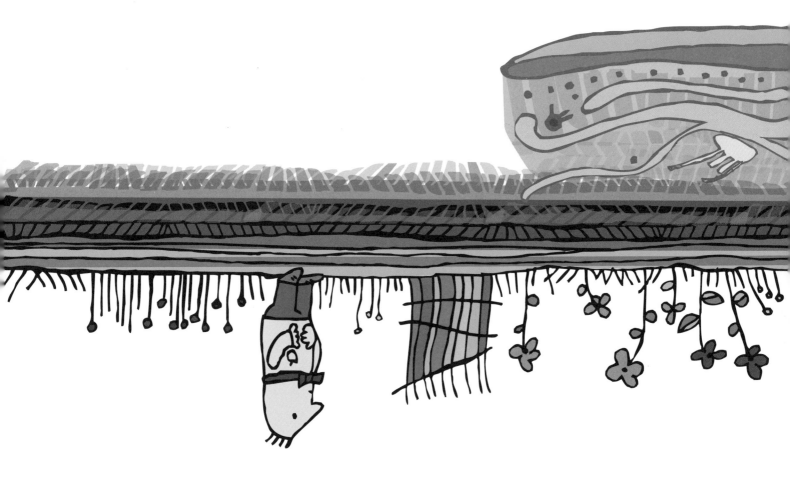

—Usted también—

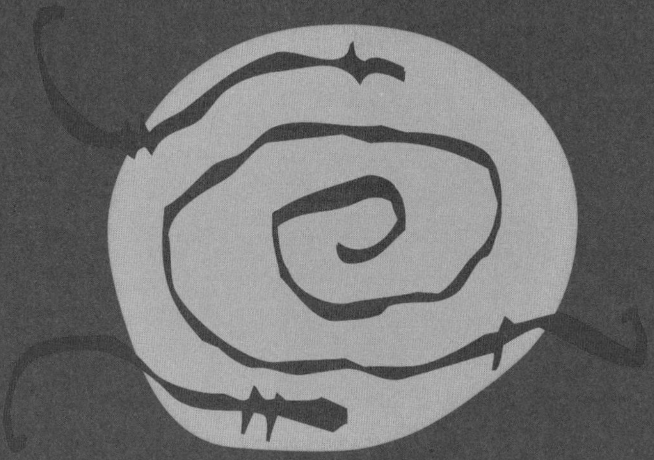

Paula Fränkel

Nací en Buenos Aires, Argentina, en 1972
y me puse a dibujar. Después estudié diseño
gráfico y por suerte descubrí la ilustración
de la mano de otros artistas.

Dibujar me desconecta, me llena y me
vuelve a conectar.

Las historias de mis cuentos se inspiran en
mis hijos, que me enseñan a descubrir el
mundo como realmente es: un lugar lleno de
formas, color y en constante movimiento.

Publicado por: Grupo Amanuense, S.A.
editorial@grupo-amanuense.com
www.grupo-amanuense.com

ISBN: 978-9929-633-15-5

©2016 Grupo Amanuense, S.A.
Primera Edición 2015
Primera Reimpresión 2015
Segunda Edición 2016

©Paula Fränkel, 2015
©Paula Fränkel, *por las ilustraciones*

Impreso en China
Printed in China